P9-APQ-845

Vivir en el espacio

Katie Daynes

Diseño: Zoe Wray

Ilustraciones: Christyan Fox y Alex Pang

Asesor en temas espaciales: Stuart Atkinson

Redacción en español: Isabel Sánchez Gallego y Anna Sánchez

Traducción: Gemma Alonso de la Sierra

Sumario

La Tierra y el espacio

La Tierra es un planeta muy grande y redondo. Desde el espacio, nuestro planeta se ve así.

Los astronautas viajan al espacio para vivir y trabajar allí durante un tiempo.

La palabra astronauta significa "navegante de las estrellas".

La escuela espacial

Para ser astronauta, primero debes ir a una escuela espacial, donde te enseñan a vivir en el espacio.

Cuando saltas estando en la Tierra, primero subes y luego bajas.

La fuerza de la gravedad, que es invisible, te atrae hacia el suelo.

En el espacio, como la gravedad es menor, todo flota.

Los astronautas deben entrenarse mucho para aprender a manejarse en ausencia de gravedad.

En la escuela espacial, los astronautas aprenden a trabajar sumergidos en el agua, ya que resulta parecido a flotar en el espacio.

Los astronautas practican salidas de emergencia.

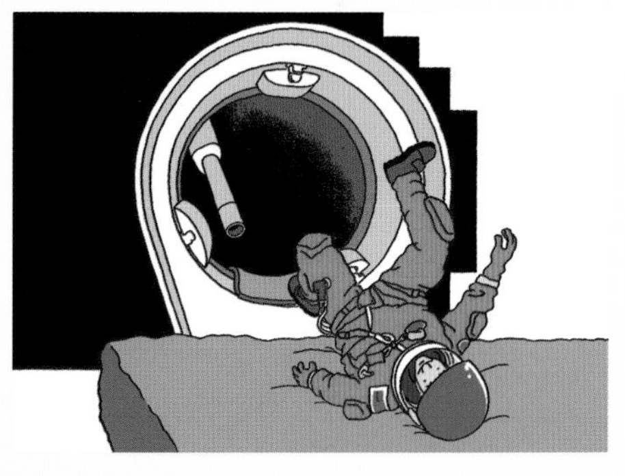

Se deslizan por una barra y caen sobre una colchoneta.

Los preparativos

Los astronautas viajan al espacio en el interior de un transbordador espacial que despega de una plataforma de lanzamiento.

El transbordador parece un avión al que han añadido un tanque enorme de combustible y dos cohetes blancos.

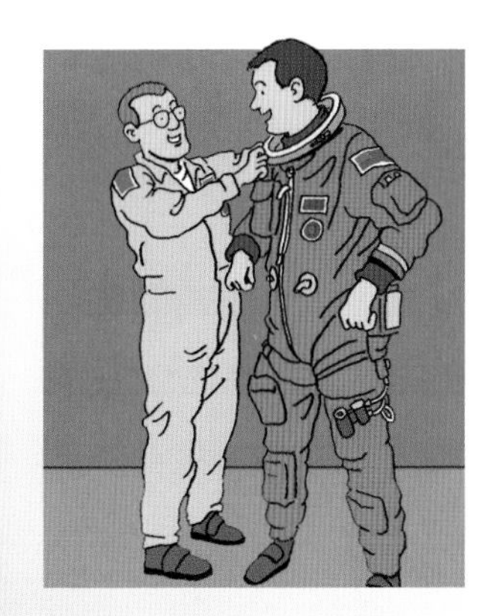

Los astronautas se ponen unos trajes naranjas especiales.

Toman un ascensor para subirse en el transbordador.

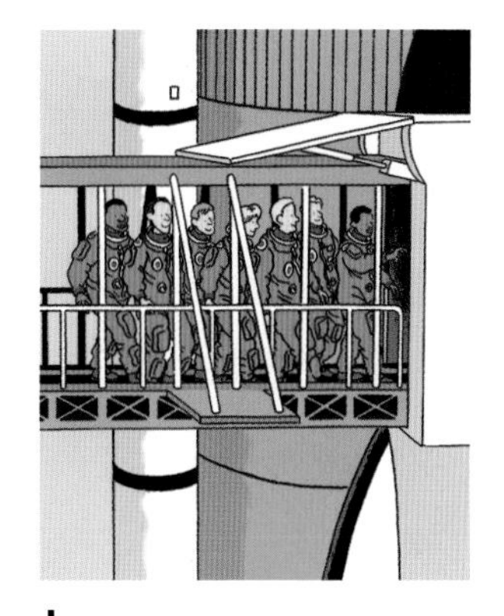

Luego cruzan un puente para entrar en la nave.

Los astronautas se tumban en la cabina del transbordador a la espera de su lanzamiento.

El lanzamiento

Los motores empiezan a quemar el combustible del tanque. Al poco, los dos cohetes se encienden, y el transbordador sale disparado al espacio.

Tres, dos, uno, ¡cero!

No se permite que nadie se acerque a la plataforma de lanzamiento, ya que sería muy peligroso.

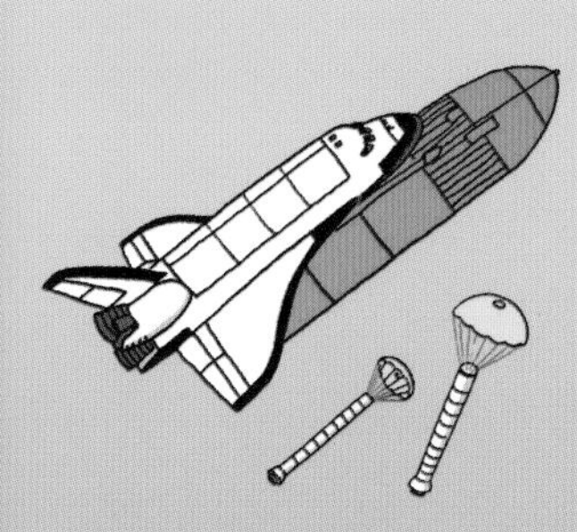

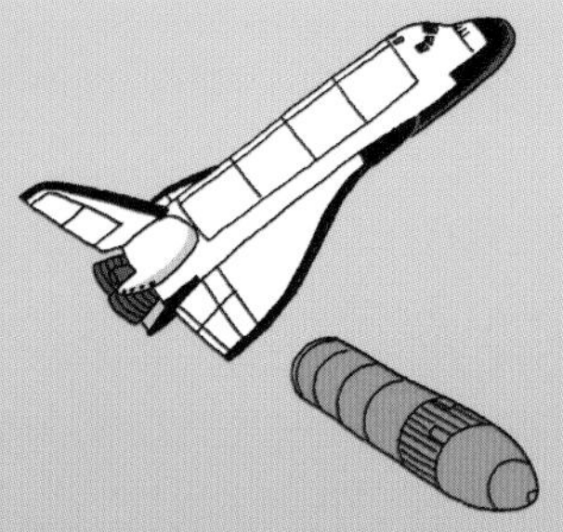

Al cabo de
dos minutos,
los cohetes
caen al mar.

A los ocho
minutos, la
nave pierde
el tanque.

El transbordador
queda después
flotando en
el espacio.

Las dos grandes
compuertas traseras del
transbordador se abren
para que no se caliente
demasiado su interior.

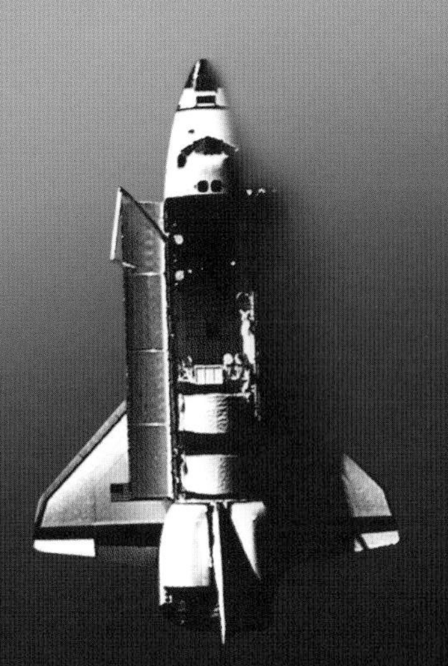

En órbita

El transbordador espacial da la vuelta a la Tierra siguiendo un círculo enorme; esto es lo que se conoce como estar en órbita.

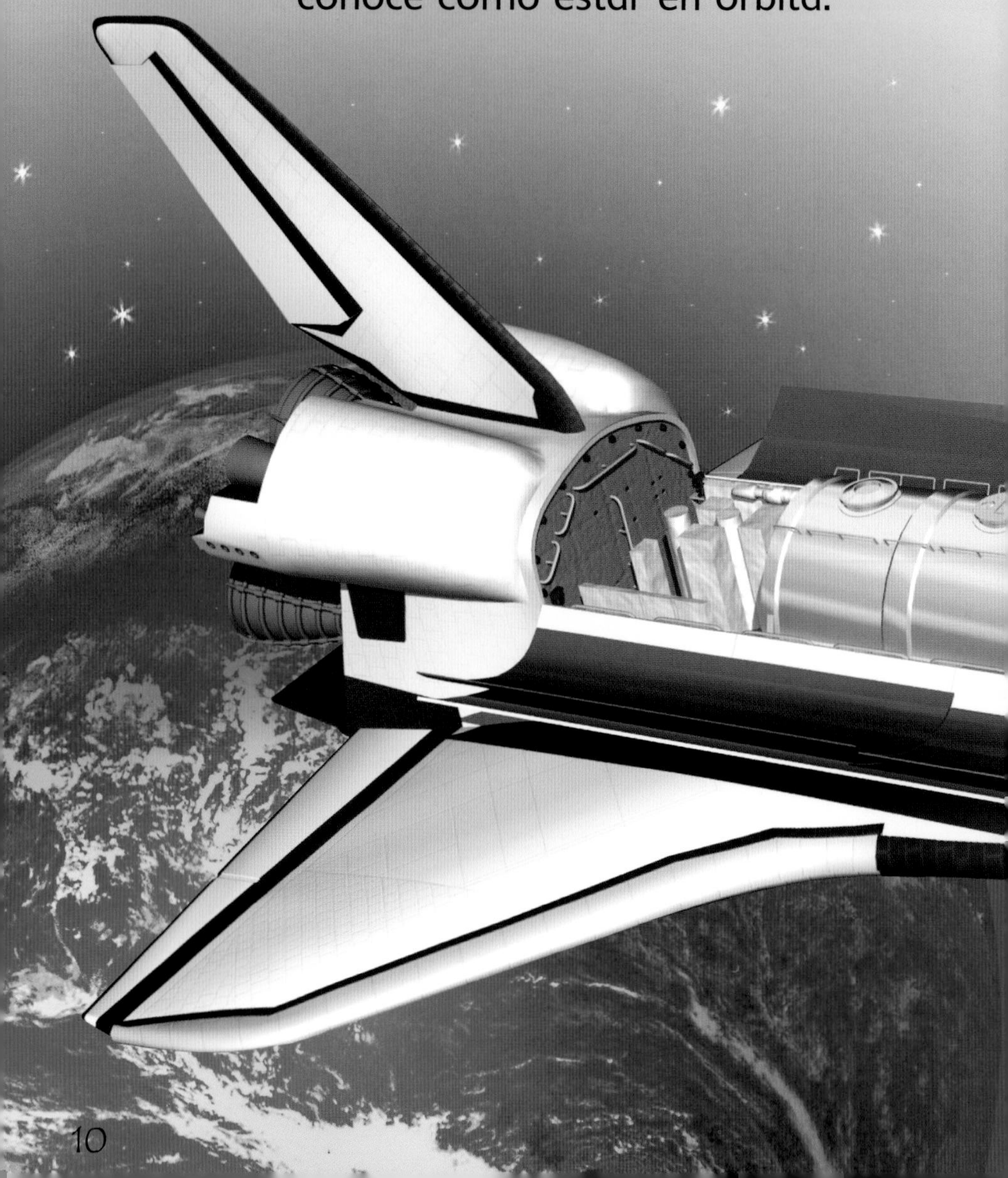

El transbordador tarda solo 90 minutos en dar una vuelta completa a la Tierra.

La parte central del transbordador la ocupa el compartimento de carga, que es donde se transportan grandes bultos al espacio.

Los astronautas trabajan, duermen y comen en la cabina del transbordador.

Una casa en el espacio

Los astronautas que se quedan en el espacio durante bastante tiempo viven en una casa flotante llamada estación espacial.

Actualmente se está construyendo una nueva estación espacial. Cuando los astronautas que trabajan en su construcción la terminen, será así.

El transbordador viaja a través del espacio.

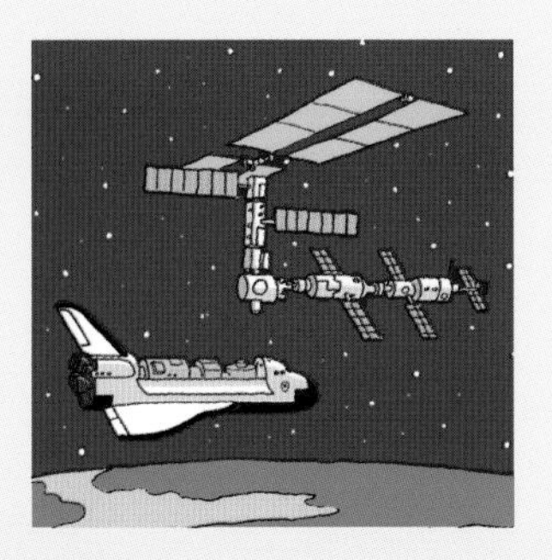

Se acerca a la estación espacial.

Y por último, se conecta a ella.

Cuando la estación espacial esté terminada, tendrá un tamaño mayor a dos campos de fútbol.

La estación espacial

El transbordador lleva al espacio las piezas para construir la nueva estación espacial.

El brazo articulado del transbordador recoge un tubo enorme del compartimento de carga.

A continuación, el brazo articulado engancha el tubo a la estación espacial.

Algunos de estos tubos tienen el tamaño de un autobús.

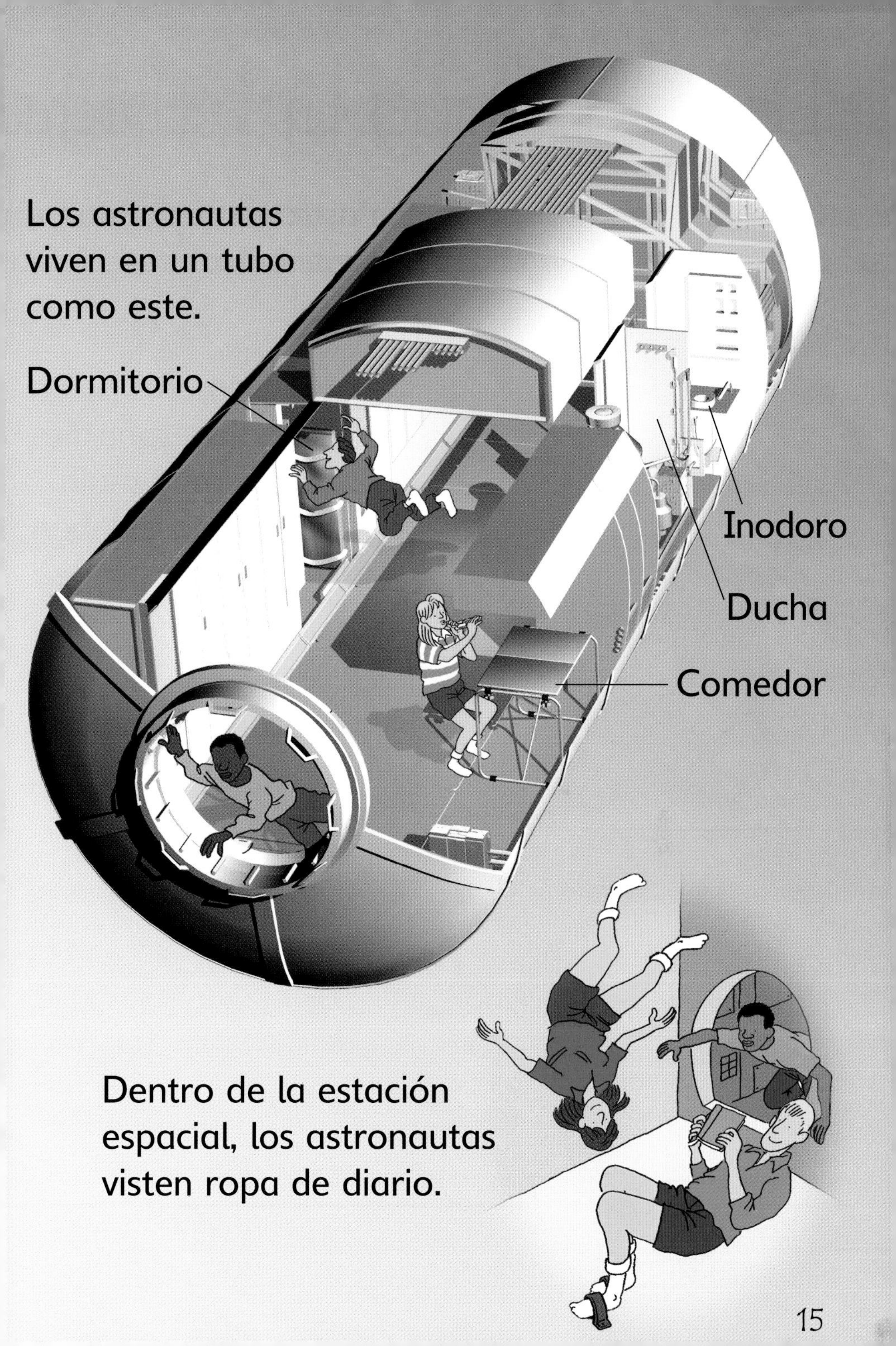

Los astronautas viven en un tubo como este.

Dentro de la estación espacial, los astronautas visten ropa de diario.

La comida y la bebida

Cuando salen al espacio, los astronautas llevan con ellos la comida y la bebida.

Las primeras comidas espaciales tenían muy mala pinta y no estaban muy buenas.

Ternera con guarnición

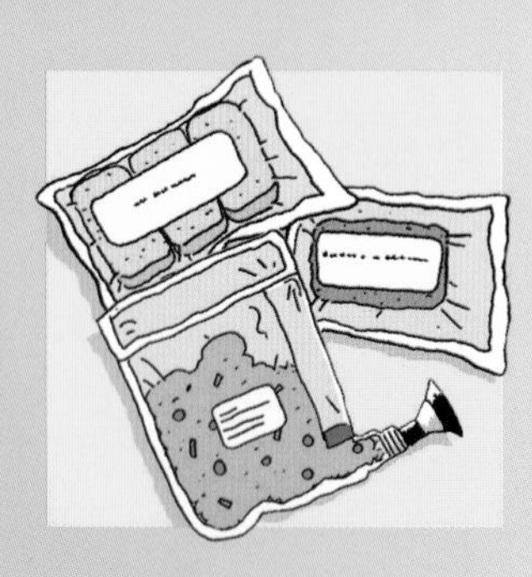

La comida se desecaba y se empaquetaba.

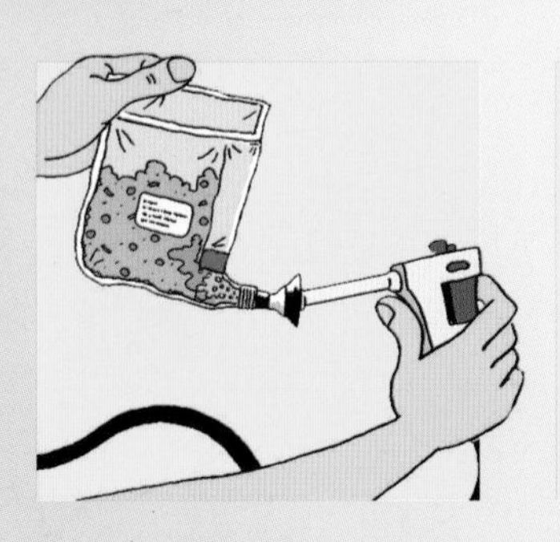

Los astronautas añadían agua caliente...

y la comida quedaba como una papilla.

¿Ves la gota que flota hacia la boca del astronauta?

Hoy en día, las comidas espaciales vienen completamente preparadas en bandejas que solo hay que calentar. La fruta se come seca para que se conserve fresca.

Fresas secas

El primer hombre que caminó por la Luna se comió un helado desecado en el espacio.

El aseo

La vida en una estación espacial no es nada fácil. No hay mucho espacio y todo flota.

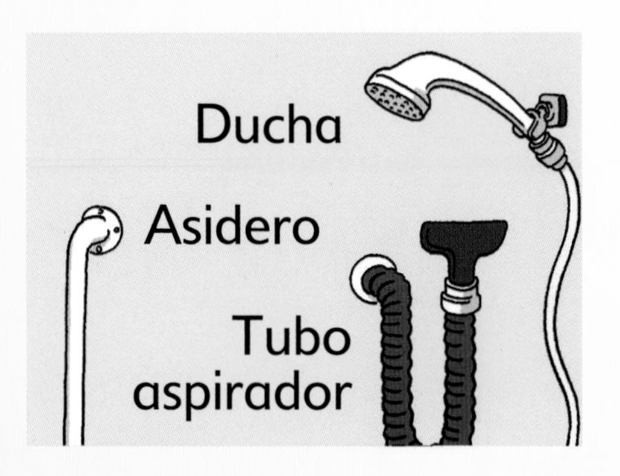

En la ducha espacial, el agua sale en gotas que flotan en el aire.

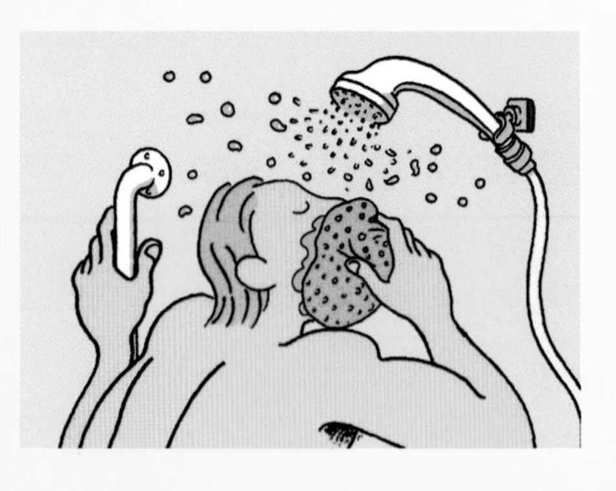

El astronauta se mantiene en su sitio mientras se ducha agarrado a un asidero.

Al acabar, recoge el agua con un tubo aspirador.

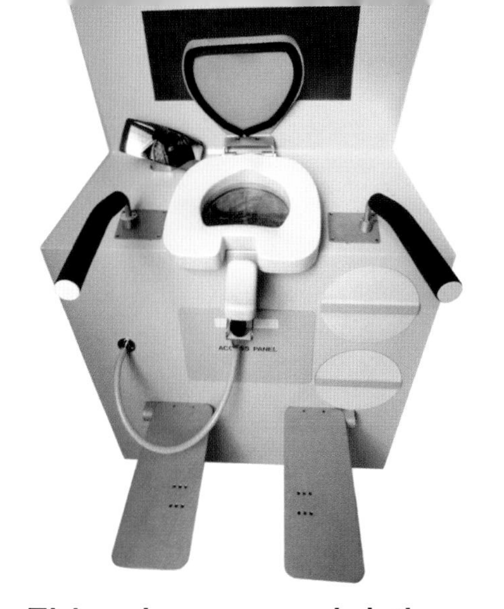

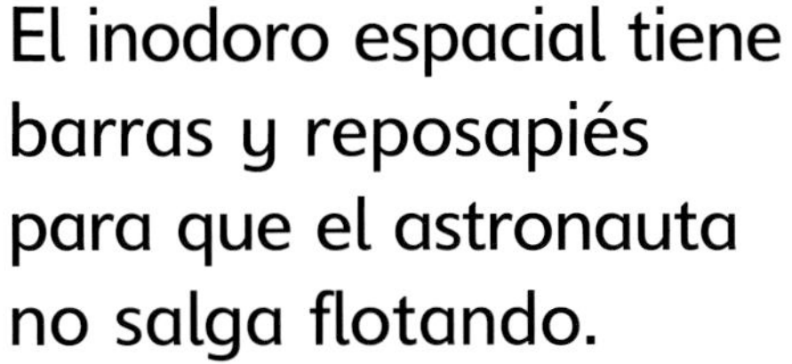

El inodoro espacial tiene barras y reposapiés para que el astronauta no salga flotando.

Esta astronauta se coloca las barras sobre los muslos y enciende el aspirador.

Los astronautas reciclan parte del agua que usan en el espacio y reciben agua nueva de la Tierra en contenedores como los de la foto.

Un día en el espacio

Algunos de los astronautas de la estación espacial trabajan en un laboratorio como el de la foto; es un gran tubo donde pueden hacer experimentos.

Los astronautas instalan piezas en la estación espacial.

Hacen ejercicio a diario para estar sanos y en forma.

Duermen en sacos de dormir sujetos a la pared.

En su tiempo libre, los astronautas leen, escuchan música o simplemente contemplan las maravillosas vistas de la Tierra.

Los astronautas pueden hablar con amigos en la Tierra y enviar mensajes por ordenador.

Los trajes espaciales

Cuando los astronautas salen a trabajar fuera de la estación espacial, se ponen un traje espacial.

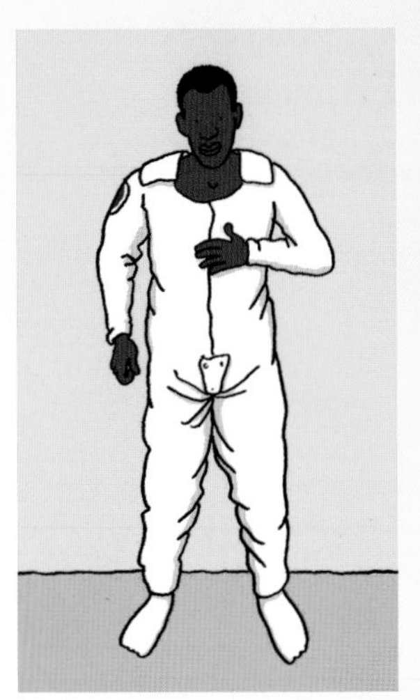

La primera capa mantiene una temperatura adecuada.

La capa externa del traje sirve de protección.

Lo último que se ponen son los guantes y el casco.

Los astronautas pueden beber y hablar unos con otros incluso con el casco puesto.

Pajita

A la espalda llevan una mochila con aire para respirar y agua para poder calentarse o bajar la temperatura.

Las botas espaciales no están diseñadas para caminar. Los astronautas se mueven de un lado para otro agarrándose bien a unos asideros con las manos.

Las salidas al exterior

Los astronautas salen al espacio a través de un compartimento estanco, que impide que el aire salga de la estación espacial.

El astronauta atraviesa una primera compuerta.

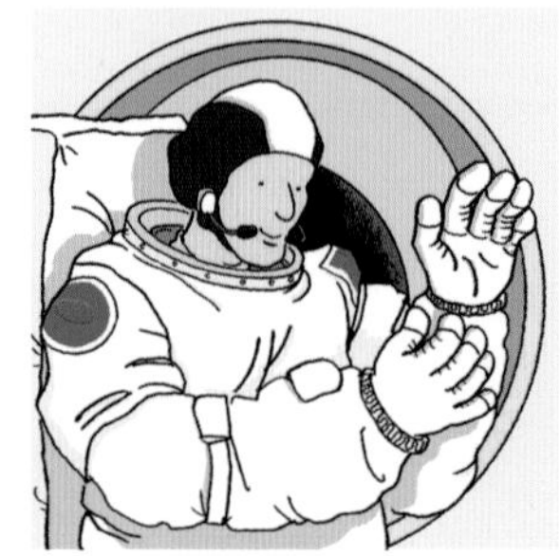

Se coloca el traje en el compartimento estanco.

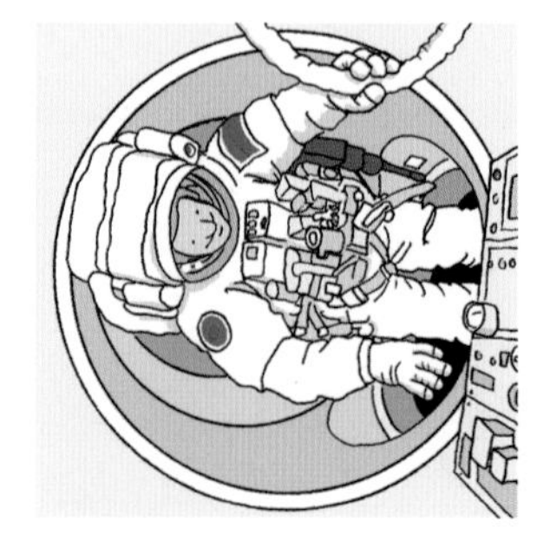

Sale por una segunda compuerta al exterior.

En ocasiones, los astronautas salen con un *jetpack*, un autopropulsor que les permite moverse por el espacio.

Cuando los astronautas trabajan fuera de la estación espacial, se dice que realizan un paseo espacial. El astronauta de la fotografía pasea por el compartimento de carga del transbordador.

Un astronauta perdió en el espacio uno de sus guantes, que todavía estará flotando por alguna parte.

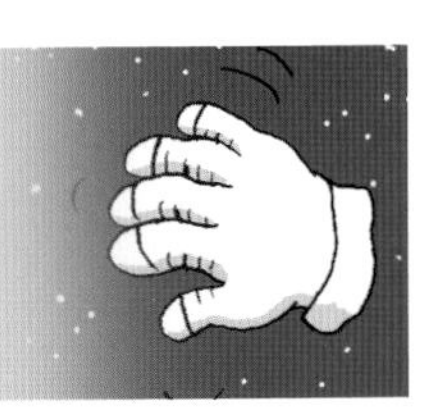

El regreso a la Tierra

Al cabo de 90 días en la estación espacial, los astronautas parten de regreso a la Tierra.

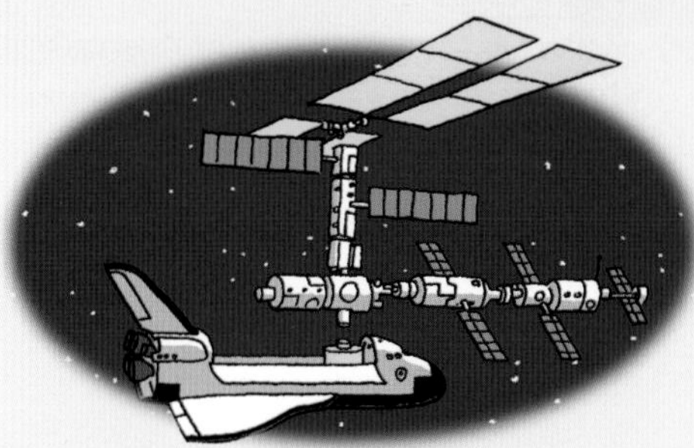

El transbordador se suelta de la estación.

Se calienta mucho al entrar en la atmósfera.

El transbordador aterriza en una pista del mismo modo que un avión.

El paracaídas
ayuda a frenar.

El periodo más largo que un astronauta ha permanecido en el espacio ha sido de un año y 72 días.

Los viajes espaciales

El primer viaje espacial tuvo lugar en 1957.

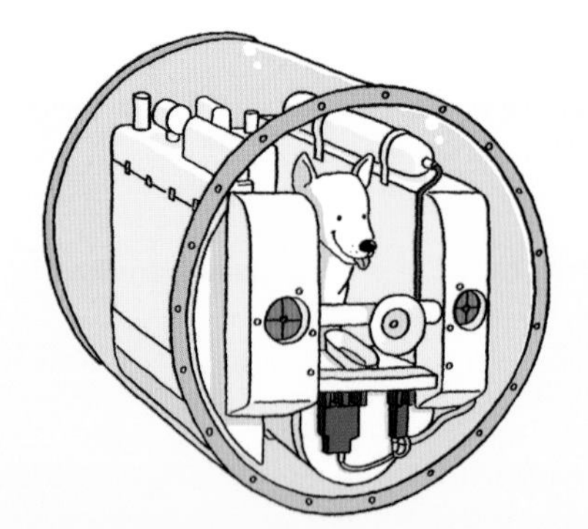

El primer ser vivo en viajar al espacio fue una perra llamada Laika.

En 1969, unos astronautas caminaron por la Luna por primera vez en la historia de la humanidad.

Como en la Luna no hay viento ni lluvia, sus huellas se conservarán durante cientos de años.

En el futuro es posible que puedas viajar al espacio en un avión espacial como este.

También puede que la gente viva en casas como la del dibujo.

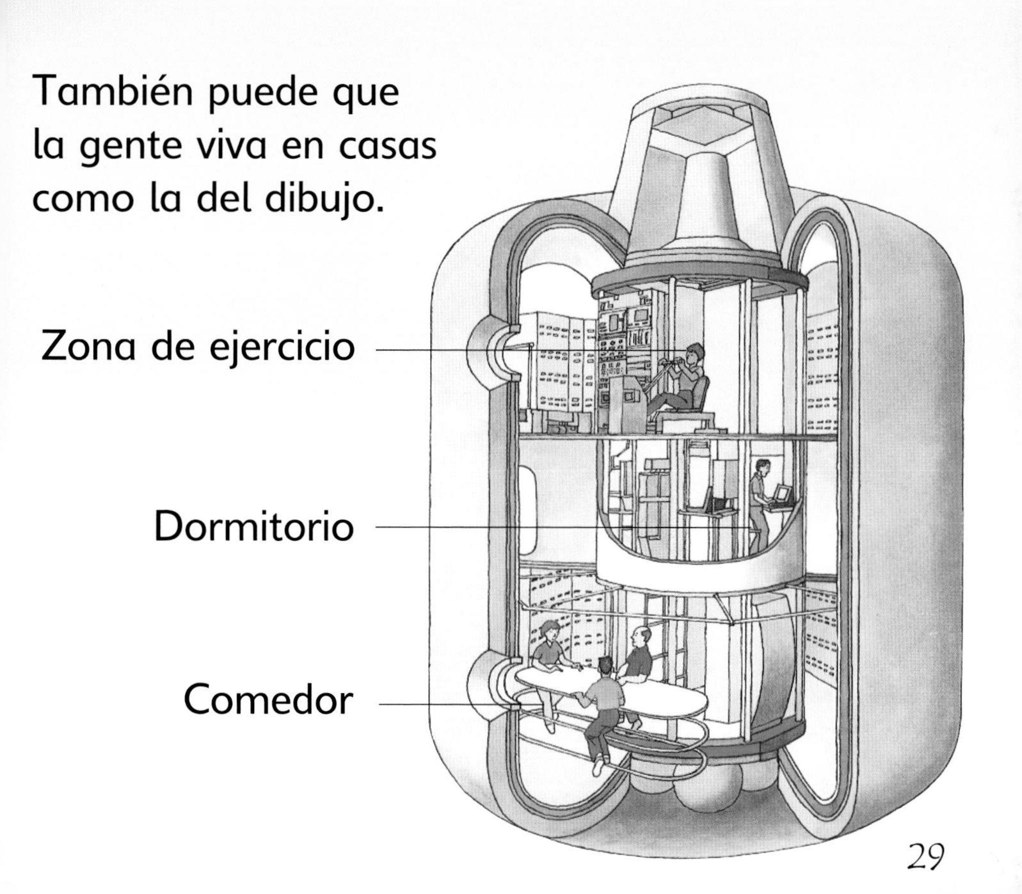

Glosario sobre el espacio

A continuación te explicamos el significado de algunas palabras que aparecen en el libro y que puede que no conozcas.

planeta: gran objeto redondo que se encuentra en el espacio. La Tierra es un planeta.

gravedad: fuerza invisible de la Tierra que atrae las cosas hacia el suelo.

combustible: es lo que se quema para dar al transbordador la energía para ir muy rápido.

órbita (estar en): girar alrededor de un planeta siguiendo un círculo enorme.

compartimento de carga: parte central del transbordador donde se llevan grandes bultos.

laboratorio: lugar donde se realizan experimentos.

compartimento estanco: zona con varias compuertas para entrar y salir de un transbordador o una estación espacial.

Páginas web

Si tienes un ordenador, puedes averiguar muchas más cosas sobre el espacio en Internet. En la página web Quicklinks de Usborne (en inglés) encontrarás enlaces a sitios muy interesantes.

Para visitar las páginas que se proponen, entra en **www.usborne-quicklinks.com** y selecciona este libro. Luego haz clic en el sitio web que quieras ver.

Usborne revisa los sitios web y actualiza los links con regularidad. Sin embargo, no se hace responsable de la información o disponibilidad de sitios ajenos a la editorial. Recomendamos que se supervise a los niños mientras navegan por Internet.

Índice

Agradecimientos

Diseño de la cubierta: Nicola Butler

Fotografías

Usborne Publishing agradece a los organismos y personas que a continuación se citan la autorización concedida para reproducir el material gráfico utilizado.
© Bristol Spaceplanes: 29; © Corbis: (Richard T. Nowitz) 4, (Bettmann) 6, (Digital image © 1996 CORBIS; imagen original por cortesía de NASA/CORBIS) 9, (Bettmann) 16, (Roger Ressmeyer) 19; © Digital Vision: cubierta, 3, 26; © Genesis Space Photo Library: 7, 19; © NASA: portada, 1, 5, 8, 12-13, 19, 20, 21, 23, 24, 25, 26-27, 28, 31

Agradecimientos a:

Katie Towers, de Buxton Foods Ltd, por las fresas espaciales